The Wheels on the Bus

go round and round

Kate Toms

make
believe
ideas

The **wheels** on the bus go round and round, round and round, round and round.

LIBRARY

The **wheels** on the bus go round and round, all day long!

go round and round

BUS 1

The **driver** on the bus says,

All aboard,

all aboard,

all aboard.

The **driver** on the bus says,

All aboard,

all day long!

go round and round

The **babies** on the bus go
wah, wah, wah,
wah, wah, wah,
wah, wah, wah!

The **babies** on the bus go
wah, wah, wah,

all day long!

go round and round

The **grandpas** on the bus say,
What's that noise?

What's that noise?

What's that noise?

The **grandpas** on the bus say,

What's that noise?

all day long!

go round and round

The horn on the bus goes

beep, beep, beep,

beep, beep, beep,

beep, beep, beep.

The horn on the bus goes

beep, beep, beep,

all day long!

go round and round

beep, beep

beep

beeeeeep

beep, beep

The **mothers** on the bus go

cluck, cluck, cluck,
cluck, cluck, cluck,
cluck, cluck, cluck,

The **mothers** on the bus go

cluck, cluck, cluck,

all day long!

go round and round

The **children** on the bus jump
up and down,
up and down,
up and down.

The **children** on the bus jump
up and down,
all day long!

go round and round

LIBRARY

SCHOOL

hmmmm!

The **fathers** on the bus say,
Please sit still!
Please sit still!
Please sit still!

The **fathers** on the bus say,
Please sit still!

all day long!

go round and round

The **boys** on the bus just
horse around,
horse around,
horse around.

The **boys** on the bus just
horse around,

all day long!

LAUNDERETTE

go round and round

Can you do this?

The **bell** on the bus goes

ding, ding, ding,

ding, ding, ding,

ding, ding, ding.

St*p

The **bell** on the bus goes

ding, ding, ding,

all day long!

go round and round

The **grandmas** on the bus go
Knit, Knit, Knit,
Knit, Knit, Knit,
Knit, Knit, Knit.

The **grandmas** on the bus go
Knit, Knit, Knit,
all day long!

go round and round

Nice scarf, Doris